Pour Antoine et Grégoire
C. A.

Illustration de couverture : Christian Kingué Epanya

© 1998 Bayard Jeunesse
© 2003 Bayards Éditions Jeunesse
Dépôt légal : avril 1998 - Quatrième édition
Loi 49-956 du 16 juillet 1949 sur les publications destinées à la jeunesse
ISBN : 2 227 70143-9

Textes de Corinne Albaut

101
poésies et comptines
tout autour du monde

pour découvrir les hommes et les pays du monde entier

Illustrées par Nicolas Thers, Frédéric Rébéna,
Christian Kingué Epanya, Marcelino Truong

BAYARD JEUNESSE

De la tour Eiffel aux gratte-ciel de New York, des montagnes de l'Himalaya au lac Titicaca, de Moscou à Ouagadougou, voici 101 poésies et comptines pour partir en voyage tout autour du monde.

Peupler l'imaginaire des enfants, leur donner le goût de la découverte et des cultures d'ailleurs : c'est autour de cette idée que se sont rencontrés un célèbre auteur de comptines, Corinne Albaut, et quatre illustrateurs de talent, Christian Kingué Epanya, Frédéric Rébéna, Nicolas Thers et Marcelino Truong.

Chacun, avec sa sensibilité, a mis en scène des moments simples de la vie quotidienne ou des instants exceptionnels. Chacun, avec sa musique particulière, a choisi d'interpréter un souvenir de lieu mythique ou un rêve de voyage.

Tous ensemble, ils font ainsi partager aux petits et aux grands des émotions, des curiosités et des étonnements et enrichissent avec bonheur leur culture d'enfance.

L'Éditeur

Autour de l'Europe

La tour Eiffel

La tour Eiffel,
    jupe en dentelle
et tête au ciel,
    depuis cent ans,
veille et attend,
    en regardant
passer la vie
    sur les toits gris
du vieux Paris.

Châteaux de France

Ah ! les beaux châteaux,
de la Loire,
de la Loire.
Ah ! les beaux châteaux
qui se reflètent dans l'eau.
Quel est le plus beau,
allons voir,
allons voir,
quel est le plus beau,
est-ce Amboise
ou Chenonceaux ?

C'est tout bon !

En France, on aime bien
le bon vin
    et le bon pain.

En France, tout est bon,
les fromages,
    le saucisson.

En France, on apprécie
la potée,
    la poule au riz,
le pot-au-feu,
    le bourguignon,
et la purée au jambon.

Rondes d'enfance

File la laine,
Roi Dagobert,
Alouette,
Ne pleure pas, Jeannette,
Compagnons de la Marjolaine,
En passant par la Lorraine,

les chansons d'enfance
flânent,
vagabondent
et jouent à la ronde
tout autour de la France.

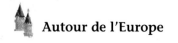

De toutes les couleurs

Verte
est la France à la campagne,
blanche
au sommet de ses montagnes,
bleue
dans ses mers, ses océans,
tricolore
sur son drapeau,
grise
sous la bise,
vermeille
au soleil.

La France est de toutes les couleurs,
jusqu'au plus profond de son cœur.

La feria

Viva España !
C'est parti pour la feria.
Les vachettes déboulent
et la foule
les refoule
en trépignant.
      Elles détalent,
      elles cavalent,
      elles s'emballent,
      cornes au vent.
Elles caracolent,
s'affolent,
carambolent,
naseaux fumants.

Qui donc les attrapera ?
      C'est pas moi !

Flamenco

Guitares et castagnettes,
l'Espagne fait la fête.
Les robes à volants
dansent en tourbillonnant.
Les mains frappent,
les pieds claquent.
Des voix chaudes et cassées
chantent le flamenco.
Olé !

Les bons poissons

Le papa
de Linda
a pêché
des poissons plein son filet.
Des morues
qui remuent,
des thons
qui font des bonds,
des sardines
qui se dandinent.
Les poissons du Portugal,
quel régal !

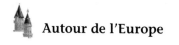
Italie, bon appétit !

Que mange-t-on en Italie ?
Des raviolis,
des spaghettis,
des macaronis,
des cannellonis.

Que mange-t-on en Italia ?
Des pastas
carbonara,
de la mozzarella
et des pizzas.

Le mystère de Venise

Chantez,
chantez,
les gondoliers,
pétaradez,
vaporettos,
sur les canaux.
Venise est posée sur l'eau,
comme un bateau.
Où est la terre ?
    Où est la mer ?
On ne sait plus trop.
C'est un mystère.

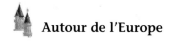
Quand l'Etna s'enrhume

Tant et tant fuma l'Etna,
qu'à la fin il s'enrhuma.

Il toussa,
        éternua
de la lave et des cailloux
qui volèrent
dans les airs
et retombèrent
un peu partout.

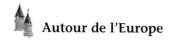

Fromage et chocolat

En Suisse, on a le choix
entre gruyère et chocolat.

Croque le chocolat
au goûter,

grignote le gruyère
au dîner.

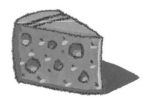

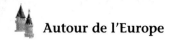
En Autriche

Que trouve-t-on en Autriche ?
Des autruches ?
Des caniches ?
Des sacoches ?
Des peluches ?
Des barbiches ?

Hum ! Surtout des brioches
et des petits pains au lait
tout frais.

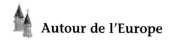

Valses d'autrefois

Autrefois, les princesses
en robes à volants,
dansaient avec ivresse
sur des valses
     à trois
        temps.

Le beau Danube bleu
était si ébloui
que son cours sinueux
tournoyait, lui aussi.

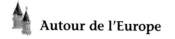

Un château mystérieux

Il est un château en Bavière,
tout hérissé de tours et de donjons,
perché sur un pic, solitaire.
Est-ce un jouet géant,
pour un petit garçon ?

Non, non, non,
disent les petits en secret,
il s'agit du palais
de la Belle au bois dormant.

Les marchés de Noël

Au marché de Noël,
Hans achète, pour le sapin,
des boules et des petits lutins.

Au marché de Noël,
Gertrud achète, pour la crèche,
un âne et de la paille fraîche.

Au marché de Noël,
Karl achète, pour la maison,
des bougies, des ballons,
et même des pétards
pour faire du tintamarre.

Au fil du canal

De la Meuse à l'Escaut,
de Bruxelles à Namur,
s'étirent les canaux
sans bruit, sans un murmure.

Entre deux rangs serrés
de raides peupliers,
la péniche tranquille
griffe l'eau immobile
et glisse, nonchalante,
vers l'écluse suivante.

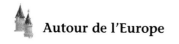

Vite, des frites !

Vite, vite,
des frites,
garçon, s'il vous plaît !
Je suis affamé,
j'en avalerais
deux ou trois cornets.
Garçon, s'il vous plaît,
plus vite,
mes frites !

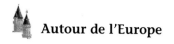

Le plat pays

Les moulins étirent leurs bras,
le vent balaie les Pays-Bas.
Il n'y a rien pour l'arrêter,
le pays est si plat,
     si plat.
C'est idéal pour pédaler
     à vélo,
le long des canaux.

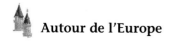

L'heure du thé

Il est cinq heures du soir,
Londres est plongée dans le brouillard.

Les gardes sous leurs gros bonnets
veillent devant le palais.

La reine prend son thé,
avec un nuage de lait.

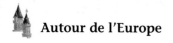

Yes or no ?

Quelle langue parle-t-on
en Angleterre ?
Le français ? *No.*
L'anglais ? *Yes.*

Que mange-t-on
en Angleterre ?
Du camembert ? *No.*
Du pudding ? *Yes.*

Comment conduit-on
en Angleterre ?
À droite ? *No.*
À gauche ? *Yes.*

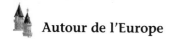

Le son de la cornemuse

Monsieur MacCorlan,
vêtu d'un tartan,
joue de la cornemuse.
Il dit que ça amuse
le fantôme du château,
caché derrière les créneaux.

Moi, je crois plutôt
que ça fait peur aux oiseaux.

Verte Irlande

Une balade
     en roulotte,
sur les chemins
     qui cahotent
entre les verts pâturages.

Mais, soudain,
     le tonnerre gronde.
C'est le début de l'orage,
et voici la pluie
     qui tombe.

Mieux vaut se mettre à l'abri
à l'auberge
     du Cheval Gris.

C'est là que les Irlandais
se rassemblent
     pour chanter.

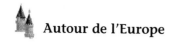

La petite sirène

La petite sirène
d'Andersen
soupire sur son rocher,
dans le port de Copenhague.
Elle ne peut plus chanter,
mais elle écoute les vagues
qui clapotent à ses pieds,
et jouent une musique
nostalgique.

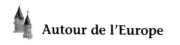

L'hameçon du Lapon

Dans la glace, le Lapon
creusa un trou bien profond
pour y pêcher des poissons.

Un hareng qui passait là
se jeta sur les appâts
et fut pris à l'hameçon.

Content comme tout, le Lapon
retourna dans sa maison,

mit le poisson à sécher
dans la cheminée.

Poupées russes

En Russie, j'ai acheté
une poupée décorée.
À l'intérieur, j'ai trouvé
une autre poupée cachée,
un peu plus petite,
et ainsi de suite,
jusqu'à la mini-mini,
riquiqui
comme un radis.

Transsibérien

De Moscou à Vladivostok,
    tchou-tchou-tchou-tchou,
le Transsibérien va bon train,
    tchou-tchou-tchou-tchou,
de Vladivostok à Moscou,
    tchou-tchou-tchou-tchou,
le Transsibérien s'en revient,
    tchou-tchou-tchou-tchou.

Sept nuits et sept journées,
    entre départ et arrivée.

Sept journées et sept nuits,
    pour traverser tout le pays.

La place Rouge

À Moscou,
la place Rouge
se souvient de tout :
armée,
  révolutions,
défilés,
  manifestations,
toute une histoire
en rouge et noir.

Histoire d'ours

L'ours brun, dans la forêt,
  l'ours blanc, sur la banquise,

ne se rencontrent jamais.
Que voulez-vous qu'ils se disent ?

L'un aime le miel sucré,
  et l'autre, le poisson frais.

Ils n'ont pas les mêmes goûts,
          voilà tout.

Le mammouth endormi

Dans les glaces de Sibérie,
tout au nord de la Russie,
on a retrouvé
un animal
colossal,
mort et congelé
depuis une éternité.

Aucun doute,
c'est un mammouth.
On peut le voir aujourd'hui
dans un musée, à l'abri,
pour toujours endormi.

Les mystères de Prague

Dans les rues de Prague,
les légendes se baladent,
entre les églises, les palais de naguère
et les pierres du vieux cimetière.
Des souvenirs vagues
chuchotés dans le noir
réveillent l'histoire,
le mystère et la mémoire.

Les tziganes

Le feu de camp crépite
et des ombres s'agitent.

Yeux sombres et cheveux noirs,
les tziganes chantent ce soir
au son de la guitare.

Demain, ils prennent la route,
ils repartent en voyage.
Il faut, coûte que coûte,
voir d'autres paysages.

Partir, partir,
                mais revenir,
le cœur empli de souvenirs.

Petit âne

– *Où vas-tu, petit âne ?*
– Je vais au marché.
– *Que caches-tu, petit âne,*
dans tes gros paniers ?
– Des olives, des citrons,
des fromages, des poissons
et, de plus, un objet
que je garde en secret.

Chut ! il ne faut pas en parler,
c'est un joli caillou doré.

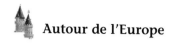

Les îles grecques

On dirait que la Grèce
a semé autour d'elle
quelques poussières d'îles
entre la mer et le ciel.

Le soleil caresse
les murs blancs des maisons.

Les chats dorment, tranquilles,
en rond sur les balcons.

Autour des Amériques

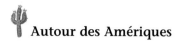

Les gratte-ciel

À New York City,
Sam se sent tout petit.
Quand il regarde en l'air,
pour voir un peu de bleu,
il se cogne les yeux
contre le béton et le verre
des gratte-ciel, plantés serrés
comme des arbres dans la forêt.

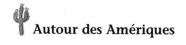

C'est bon, Billy !

Sous sa casquette de base-ball,
dans son T-shirt rock'n'roll,
Super Billy va déjeuner.

Hamburger, chips et coca,
ice-cream au chocolat,
et cookies pour terminer.

Bon appétit, Billy !

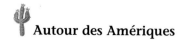

Disney parade

Salut, Mickey,
salut, Minnie !

Comment allez-vous, les souris,
sous le ciel de Californie ?
Vos cousins, qui vivent chez nous,
vous envoient un petit coucou.

Hello, Donald,
hello, Dingo !
Salut, Dumbo,
salut, Picsou !

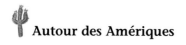

Halloween

Le soir d'Halloween,
dans les villes inquiétantes,
les rues s'illuminent
de citrouilles grimaçantes.

Sorcières, démons,
vampires, revenants,
frappent aux portes des maisons
et font peur aux habitants.

Qui sont-ils ?
D'où viennent-ils,
tous ces enfants déguisés
qui demandent des bonbons ?

Chut, personne ne le sait !

Les géants

Ces arbres géants
de Californie,
c'est quoi, ça ?
Des séquoias.

Ils ont trois mille ans
et sont toujours en vie.

S'ils avaient de la mémoire
et s'ils pouvaient parler,
ils en auraient des histoires
à nous raconter.

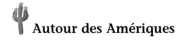

Les Indiens d'Amérique

Cochise,
Géronimo,
grands chefs indiens
de l'Ouest américain,

Sioux, Apaches,
Cheyennes, Navajos,
grandes tribus,
aujourd'hui presque disparues,
vous peuplerez toujours
les rêves et les légendes.

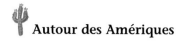
Le grizzli

J'ai fait du ski
en Alaska,
là-bas, au nord du Canada,
et j'ai rencontré un grizzli.

J'ai eu si peur,
que depuis,
je ne sais plus
ce que je dis.

J'ai fait du ska
en Alaski,
là-bas, au nord du Canadi,
et j'ai rencontré un grizzla.

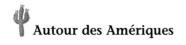

L'hiver au Québec

Le long du Saint-Laurent,
le vent court en sifflant.
Il hurle aux Canadiens :

« Voici l'hiver qui vient,
la neige et la froidure.
Sortez les gants, les bottes,
les bonnets, les fourrures ! »

Le Québec grelotte !

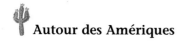

La tête à l'envers

Au pôle Nord,
c'est clair,
on a la tête *en l'air.*

C'est pourquoi
les Esquimaux
se sont installés *là-haut.*

Au pôle Sud,
je crois,
on a la tête *en bas.*

C'est pour cela
que les gens n'y vont pas.

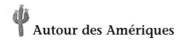
Carnaval au Mexique

Je soutiens mordicus
que certains olibrius
ont choisi comme astuce
de se déguiser en cactus
de deux mètres de haut et plus.
On dirait des gugusses,
il ne leur manque qu'un gibus.

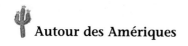

Le sombrero de Pedro

Il fait chaud,
le soleil est haut.
Au coin de la rue,
on ne voit plus
qu'un grand chapeau
sur un poncho.
C'est Pedro de Mexico.
Il dort sous un sombrero.

Chut ! ne pas déranger !
Ici, la sieste, c'est sacré.

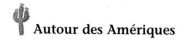
Panama, ici et là

Il est entré par ici,
        il ressortira par là,
c'est un sacré raccourci,
        le canal de Panama.

Il traverse l'Amérique,
de l'océan Atlantique
à l'océan Pacifique.
Pour les bateaux,
        c'est pratique.

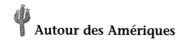
Martinique magique

Traversé l'Atlantique,
arrivé Martinique.
Soleil et bananiers,
doudous, robes colorées,
parlé-chanté créole
et pêché le poisson,
musique sur des casseroles,
tambourins et bidons.

Kourou

Tu cours où ?
À Kourou,
dans le nord de la Guyane,
pour voir la fusée Ariane.
Elle décolle aujourd'hui,
   cinq,
      quatre,
         trois,
            deux,
               un,
                  partie !

L'heure silencieuse

Il est deux heures
en Équateur.
Le déjeuner
est terminé.
Dans la maison de bambou,
des rayons de lumière
se glissent à travers les trous
et éclaboussent la terre.
Les enfants font la sieste,
des poules picorent les restes,
un cochon dort dans un coin,
un chien attend
       et ne dit rien.

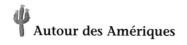

Tortue géante

Comment visiter
les Galapagos ?
En carrosse ?
À dos d'éléphant,
de chameau,
de tigre blanc ?
À vélo ou à moto ?
  Mais non,
à califourchon
sur une énorme tortue
à grosses pattes cornues,
à carapace bossue.
Évidemment, c'est un peu lent,
il faut savoir prendre son temps.

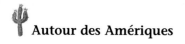
Titicaca

Si on ne parle pas
du lac Titicaca,
c'est qu'il ressemble à un gros mot,
et puis, en plus de ça,

c'est le voisin du lac Poopó.

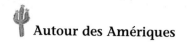

La cordillère des Andes

Am stram gram,
pics et pics en chicanes,
jouent à qui est le plus haut,
le plus pointu, le plus beau
de tous les pics de la terre,
le long de la
Cordillère.

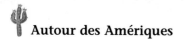

Flûte de Pan

Est-ce le vent
que l'on entend
souffler sur l'Altiplano ?

Non,
c'est un enfant,
dans son poncho,
qui joue
de la flûte de Pan.

Tout là-bas, là-bas

La tata lama,
le tonton tatou,
ne vivent pas ici,
mais ils vivent où ?

En pata pata,
patati patou,
en Patagonie,
c'est loin,
    c'est fou.

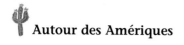

Drôles de noms

Les éléphants de mer
ont de très grands nez,
et les lions de mer
ont de vraies crinières.

Si les phoques avaient
des cous très très longs,
les appellerait-on
girafes de mer ?

Au galop, les gauchos

Tagada, tagada,
au galop, au galop,
les gauchos argentins
n'ont jamais peur de rien.
Sur la tête, un chapeau,
dans la main, un lasso.

Au galop, au galop,
ils parcourent la pampa
et surveillent les troupeaux.
Rodéo, rodéo.
    Tagada, tagada.

Le tapir a peur

Un tapir est tapi
dans la forêt d'Amazonie.
Il se fait du souci,
car de **terribles** bruits
se rapprochent de lui.

Les hommes coupent le bois
pour gagner du terrain,
et le tapir sait bien
qu'un jour prochain,
ses grands arbres amis
tomberont sans rien dire.

Il a peur, le tapir.

Carnaval à Rio

Brésiliens et Brésiliennes
se déchaînent
à Rio, dans la rue.

Samba,
bossa nova,
paillettes
en fête,
tohu-bohu,
filles emplumées,
garçons masqués.

C'est le grand carnaval
au rythme tropical.

Autour de l'Afrique

Caravane

Dans le désert
   sec,
   sec,
   sec,
la caravane chemine :
cinq ou six chameaux avec
quelques chèvres qui trottinent.
Sous le soleil de midi
marchent les hommes en turban,
à la recherche d'un puits
pour y installer le camp.

C'est ainsi que va la vie
dans ces étendues immenses,
les dunes de sable, et puis
l'oasis en récompense.

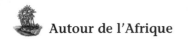

Le souk

Dans le souk,
on peut trouver :
tapis tissés,
cuir repoussé,
pots vernissés,
plats de cuivre,
bijoux d'argent,
gâteaux sucrés,
tissus brodés,
épices parfumées,
et peut-être, en cherchant bien,
poudre de perlimpinpin.

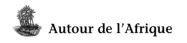

Le charmeur de Marrakech

Chut !
Un Arabe, à Marrakech,
assis sur la terre sèche
joue de la flûte.
Un serpent se balance
devant lui en cadence.
Il ondule,
    gesticule,
soudain se dresse en silence,
puis enroule ses anneaux d'or
    et s'endort.

Couscous et désert

Un jour,
la petite Berbère
imagina carrément
que le sable du désert
était un couscous géant.

Pourtant
je ne vois ni courgettes,
ni pois chiches, ni boulettes.
Pas de braises
pour griller ma merguez,
rien que de la semoule
que le vent roule
jusqu'à l'horizon
dans un gros chaudron.

Ah, si j'avais des raisins secs
pour manger avec !

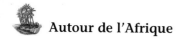

Les couleurs du marché

Au marché de M'Backé,
dans des paniers,
des calebasses,
s'entassent
dattes et ananas,
pyramides d'arachides,
patates et tomates,
épices et maïs,
betteraves et goyaves,
bananes et ignames.

C'est la fête des couleurs,
des saveurs et des senteurs
au marché de M'Backé.

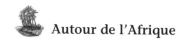

Ouagadougou

Ça a du goût ?
    Ce n'est pas ça.
Gaga doudou ?
    Non, pas du tout.
C'est où, c'est où ?
    C'est tout au bout.
Ouagadougou ?
    Voilà, c'est là.

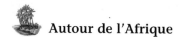
Les « ca » du Nigeria

Au Ni Ni au Nigeria,
on cultive le
*ca*caoyer.

Au Ni Ni au Nigeria,
le *ca*féier
on fait pousser.

Et puis ce n'est pas tout,
on y récolte itou
*ca*cahuètes et *ca*outchouc.

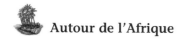
Afrique

Il est des tribus
d'Afrique
magnifiques.
Corps tatoués,
parés de bracelets,
de colliers,
de boucles d'oreilles
en perles de verre,
d'os ou bien de pierre,
couleur de soleil
et de terre brûlée.
Il est des tribus
d'Afrique
magnifiques.

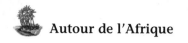
Tam-tam

Qui est-ce qui fait ce ramdam
dans la forêt vierge ?
    Un hippopotame
        qui joue sur la berge ?
    Un rhinocéros
        qui s'est fait une bosse ?
Mais non, c'est le tam-tam
des Pygmées de la forêt.

Papa **poum** pam pam,
    papa poum pam pam...

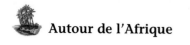

Le grand fauve

Dans la nuit africaine,
une forme incertaine
se faufile dans l'ombre
de la forêt sombre.
Est-ce un guépard,
un lion, un léopard ?
Le grand félin se glisse
sous les feuilles qui frémissent.

Il écoute, il épie
sans faire le moindre bruit.
Gare à celui
qui sera pris !

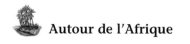

L'hévéa

Est-ce que l'arbre à caoutchouc
a des branches en élastique ?

Est-ce que son tronc est tout mou ?
A-t-il des feuilles en plastique ?

Est-ce que, si l'on tire dessus,
il grandit de plus en plus ?

– Tais-toi, tu dis n'importe quoi,
c'est un bel arbre bien droit
aussi solide que toi !

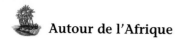

Maman zoulou

Sur la tête, le fagot,
à la main, le seau d'eau,
et des enfants partout,

    c'est la maman zoulou,
    belle dans son boubou,
    qui s'occupe de tout.

Et quand elle a le temps,
elle chante doucement
des berceuses en bantou.

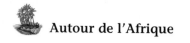

Coco et croco

Un babouin réfléchissait,
au bord du fleuve Limpopo :
« J'ai envie, pour mon dîner,
de noix de coco. »

Un crocodile qui passait
se dit : « Tiens, j'aimerais bien
trouver pour mon déjeuner
un babouin. »

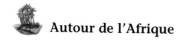

Les chutes Victoria

En passant par la Zambie,
le Zambèze fit la culbute.
Patatras ! il atterrit
    à grand
        fracas,
           cent mètres
              plus bas.

On appela cette chute
Victoria.

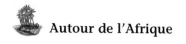

Zanzibar et Tanzanie

Un malabar
de Zanzibar
avait une tante
en Tanzanie.
Tous deux étaient
un peu zinzin.
Ils s'en allèrent,
un beau matin,
au Zimbabwe
    au Zimba-ba
pour y chercher
    des beaux dia-dia
des diamants blancs
resplendissants,
et ils gagnèrent
beaucoup d'argent.

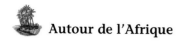

Madagascar

Je vais à Madagascar,
je me balade en car,
car
il y a des choses à voir :

> *les baba*, les bananiers,
> *les coco*, les cocotiers,
> *les pa*, les palétuviers.

Mais il se peut que du ciel
un nuage de sauterelles
s'abatte en battant des ailes
et vienne tout dévorer !

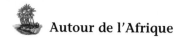

La Réunion des saints

À La Réunion,
se sont réunis
tous les saints du paradis,
pour donner leurs noms
aux villes de l'île,
    Saint-Paul,
Saint-Pierre,
    Saint-Louis,
Saint-Benoît
    et Saint-Denis.

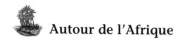

Le désert

Sur les terres immenses,
le désert avance.
Sable et cailloux
recouvrent tout.

Jamais il ne pleut,
le ciel reste bleu.
Il ne pousse rien
et les hommes ont faim.
Alors, peu à peu,
ils partent plus loin.

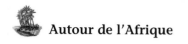

Toutankhamon

Salut à toi, Toutankhamon,
le plus grand des grands pharaons !
Toi qui as traversé les âges,
dans ton sarcophage,
protégé par ton trésor
de pierreries, d'argent et d'or.

Tu n'es plus qu'une momie fragile,
immobile,
et pourtant,
tu restes toujours aussi grand,
le plus grand des grands pharaons.
Salut à toi, Toutankhamon.

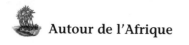

Les pyramides

Posées comme des chapeaux pointus
sur le sable du désert,
les pyramides trapues,
murées sur leurs mystères,
regardent passer le temps
depuis plus de quatre mille ans.

Autour de l'Asie et de l'Océanie

Imagine

Imagine
un coffret de pierres précieuses.
À l'intérieur,
une lampe merveilleuse.
Tu la frottes, et un génie
apparaît.
Il peut, par magie,
réaliser tes souhaits.
Imagine
que tu lui demandes
un tapis volant,
comme dans les légendes
et les contes d'Orient.
Tu partirais en voyage,
plus haut que les nuages.
Imagine
la suite de l'histoire...
L'important, c'est d'y croire.

Les mers d'Asie

La mer Rouge
   est-elle rouge ?
La mer Noire
     est-elle noire ?
La mer Caspienne
       est-elle casse-pied ?
La mer d'Aral
        aime-t-elle râler ?
Fait-on pousser du persil
          dans le golfe Persique ?

Je me pose bien des questions
sur les mers et leurs drôles de noms.

Rêve de paix

Une étoile est tombée du ciel
sur le drapeau d'Israël,
une étoile bleue,
juste en plein milieu,
en signe de paix
pour l'humanité.

Fleuve indien

Dans l'eau du Gange,
le fleuve sacré
bordé de temples et de palais,
tous les Hindous vont se baigner.

Le long du Gange,
les vaches sacrées
s'en vont, s'en viennent en liberté,
personne ne les dérange.

La mousson

À la saison des pluies,
pousse le riz,
pousse le riz,
et tous les Indiens rient,
ça les réjouit,
ça les réjouit,
de voir pousser le riz,
car dans leur pays,
le riz,
c'est toute la vie.

Ohé, yéti !

Ohé, yéti !
Ohé, y es-tu ?
criait Victoria
dans l'Himalaya.

Yéti, yéti,
y es-tu, y es-tu,
répondait l'écho
dans l'Himalayo.

Yéti, pas vu,
yéti, perdu ?
Il a disparu
dans l'Himalayu.

Peut-être bien
qu'il n'y a rien
et qu'il n'existe pas,
le yéti de l'Himalaya.

La grande muraille

Autrefois,
des milliers de Chinois
empilèrent des pierres
le long de la frontière,
pour construire
une grande muraille.
  Quel travail !

Aujourd'hui,
la grande muraille
est toujours là.
Elle veille
sur un milliard de Chinois.

Le sampan

J'ai vu un sampan flotter
    sur le Yang-Tseu-Kiang.
Il était chargé de thé,
de riz et de mangues
qu'il emportait au marché,
    sur le Yang-Tseu-Kiang.

À la baguette !

Ces baguettes
ne sont pas faites
pour
jouer du tambour.

Tu les tiens
bien dans ta main,
puis
tu manges ton riz.

L'écriture chinoise

Du bout du pinceau,
tracer des mots chinois
sur un papier de soie.

Du bout du pinceau,
les traits s'élancent,
se croisent
et dansent.

Comme des envols d'oiseaux.

Chez les Mongols

Où vit-on ?
  Dans la yourte.
Que mange-t-on ?
  Du yaourt.
Que boit-on ?
  Du lait frais.
Que brûle-t-on ?
  Du crottin séché.
Que fait-on ?
  On fait paître les troupeaux,
  vaches,
  moutons
  et chameaux.

Une force d'éléphant

Dans la forêt de Thaïlande,
un éléphant se demande
　　　pourquoi on coupe le bois.

C'est toujours lui qui le porte,
sa trompe est tellement forte
　　　qu'elle soulève n'importe quoi.

L'éléphant préférerait
s'en servir pour se doucher,
mais il faut porter le bois,
　　　il se demande bien pourquoi !

Les danseuses de Bali

Comme elles sont jolies,
les danseuses de Bali,
avec leurs coiffures dorées
et leurs robes colorées !

Elles ne bougent presque pas,
mais leurs mains et leurs doigts
sont agiles
comme des oiseaux des îles.

Ainsi font les typhons

Un typhon
a secoué la mer de Chine
et balayé les Philippines.

Les maisons
de bambous tressés
se sont envolées.

Quand le typhon forcené
aura fini de typhonner,
les habitants construiront
de nouvelles maisons.

Les kangourous

À force de sauter partout,
peut-être que les kangourous
donnent le tournis
à leurs petits.
Un bond par-ci,
un bond par-là,
les petits s'accrochent,
hip hop par-ci,
hip hop par-là,
au fond de leur poche.

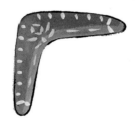

Moutons, tontaine et tonton

Combien de moutons tond-on
quand on est tondeur de moutons ?

Plus de cent moutons à l'heure,
quand on est habile tondeur.

Donc en une minute on tond
presque deux moutons,

si toutefois
on ne s'endort pas

en comptant les moutons
ton ton, tontaine et tonton.

Le repas du koala

– Coucou, Koala !
Que veux-tu comme repas ?
Un cactus ?
    – Je n'aime pas ça.
– Du papyrus ?
    – Je n'aime pas plus.
– Des fleurs de lotus ?
    – Non, ne cherche pas,
    je n'aime que les eucalyptus.

Kiwi et kiwi

Si le kiwi
est un fruit,
c'est aussi
un oiseau
rigolo,
pas très beau,
un oiseau sans ailes
qui ne vole pas,
  on n'a jamais vu ça !

Atoll et lagon

– Qu'est-ce qu'un atoll,
      Anatole ?
– Un anneau de coraux
autour d'un lagon.
– Qu'est-ce qu'un lagon,
      Sigismond ?
– Un bassin peu profond,
entouré de coraux.
– Si tu n'as pas compris,
      va voir à Tahiti.
– Si tu n'as pas bien vu,
      file à Honolulu.

Logis sur pilotis

Le vent peut souffler,

la terre peut trembler,

les maisons sur pilotis
tiennent bon,
bien calées
sur leurs pieds.

Futon futé

Le futon, c'est futé,
pour dormir la nuit.
      Il suffit de le dérouler
          sur le tatami.
Quand la nuit est finie,
le futon se replie.
On le range dans l'armoire
          jusqu'au soir.

Les cerfs-volants japonais

Les jours de grand vent,
planent les cerfs-volants.
Oiseaux,
poissons,
fleurs,
papillons.
Les Japonais, heureux,
les suivent des yeux.
Peut-être ont-ils envie
de s'envoler aussi.

Jardin japonais

Dans un jardin de poupée,
un cerisier,
une allée de gravier,
un petit pont funambule,
un poisson qui fait des bulles,
minuscules.

Table des comptines

TABLE DES COMPTINES

Autour de l'Europe

Autour des Amériques

Autour de l'Asie et de l'Océanie

Autour de l'Afrique

Index des pays
et des régions du monde

En **gras** : les pays
En maigre : les provinces, les villes, les fleuves et les régions du monde

TOUT AUTOUR DU MONDE

La ronde
des océans et
des continents.

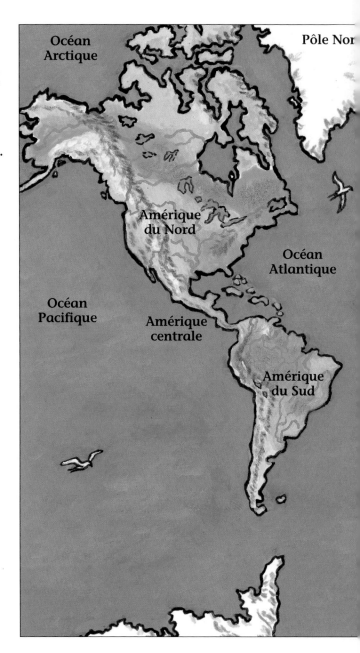

Océan
Arctique

Pôle Nor[d]

Amérique
du Nord

Océan
Atlantique

Océan
Pacifique

Amérique
centrale

Amérique
du Sud

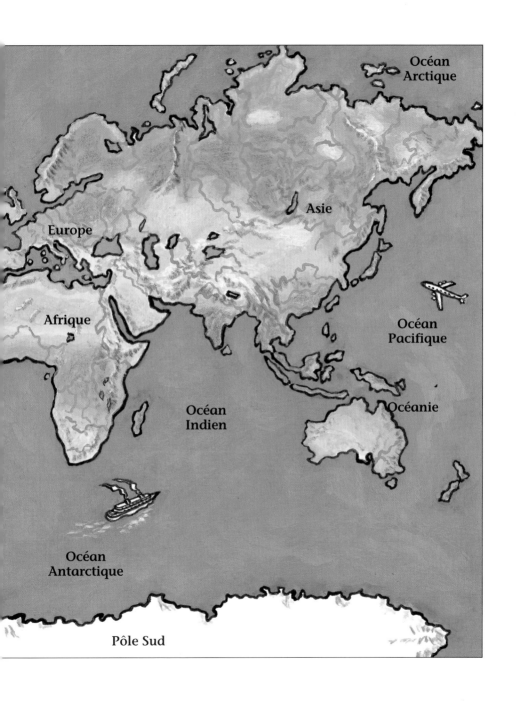

Dans la même collection

101 poésies et comptines du bout du pré
101 chansons de toujours
101 poésies et comptines des quatre saisons
101 comptines à mimer et à jouer
101 poèmes pour les petits
101 fables du monde entier

Déjà parus

101 poésies et comptines
44 ballades et poésies autour de la terre, ta maison

Impression et reliure : Pollina s.a., 85400 Luçon - n° 92002

N° d'éditeur : 5197

Imprimé en France